C000171455

Gilbert **Delahaye** ◆ Marcel **Marlier**

martine

protège la nature

Texte de Jean-Louis Marlier

casterman

• Découvre les personnages de cette histoire •

Martine

Joyeuse et curieuse, Martine adore s'amuser avec ses amis et son petit chien Patapouf, avec qui elle vit de véritables aventures et découvre le monde. Une chose est sûre : avec Martine, on ne s'ennuie jamais !

M. Charles

Le papa d'Anaïs est biologiste, spécialisé dans les insectes. Un travail passionnant… et parfois un peu cocasse !

Anaïs

Anaïs est une camarade de classe de Martine. Passionnée de nature, comme son papa, elle est généreuse et très attentive au monde qui l'entoure… jusqu'à ses plus petits habitants !

Patapouf

Ce petit chien est un vrai clown ! Il fait parfois des bêtises… mais il est si mignon que Martine lui pardonne toujours !

Martine passe le week-end chez Anaïs. Avec ce beau temps, les deux amies vont pouvoir s'amuser dans le jardin ! Elles commencent avec une partie de cache-cache.

– Je vais te trouver ! lance Anaïs qui avance parmi les branches.
Martine retient son souffle.
Mais soudain…

– Atchoum !

Anaïs sursaute et se retourne.

– Vue ! crie-t-elle. Attrape-moi si tu peux !

Les deux filles s'élancent à travers le jardin. Elles rient aux éclats !

– Touchée ! crie Martine.

– Bravo, tu as gagné ! Pour te récompenser, je t'emmène dans ma cabane secrète.

– Une cabane ? Loin d'ici ? questionne Martine.

– Juste au-dessus de nous. Regarde ! Tu viens visiter ?

Nous y dormirons cette nuit. C'est comme une vraie petite maison.

Les deux filles escaladent l'échelle de corde. Martine s'accroche de toutes ses forces, mais elle n'est pas rassurée.

– C'est haut… J'ai un peu le vertige !

– Ne regarde pas en bas ! conseille Anaïs. Encore trois échelons, et tu es arrivée !

– J'ai bien dormi ! dit Martine
en s'étirant, le lendemain matin.
J'avais un petit peu peur des
insectes : à la campagne,
ça rampe, ça vole, ça pique…
– Les insectes ? Mon papa
et moi, on les adore !
Suis-moi dans le jardin, je vais t'en montrer de tellement beaux que,
toi aussi, tu vas les aimer.

– Aimes-tu les papillons ?
demande Anaïs.
Sur ces orties, je te
présente le vulcain
et le paon du jour.
Ils ont besoin de
ces plantes pour nourrir
leurs bébés chenilles.
– Tu en sais des choses !
admire Martine.

– C'est mon papa qui me dit tout cela.
Quand je serai grande, je veux faire
le même métier que lui, je veux
étudier les insectes.
– Regarde toutes ces couleurs
sur leurs ailes ! s'émerveille
Martine.
Clic ! Vole, papillon, vole !
Ta photo est dans la boîte.

Les deux amies s'avancent
vers l'étang qui borde le jardin.
– Mais… que fait ton père
avec ce nid et ce canard
en plastique sur la tête ?
s'étonne Martine.
– C'est son camouflage,
répond Anaïs en riant. Pour
approcher ses insectes chéris,
papa est prêt à tout, même
au ridicule !

– Papa ! appelle-t-elle.
On cherche des insectes
à photographier !
– Venez dans ma barque !
Je vous ferai voir une
espèce rare de libellule.
J'en profiterai aussi pour
faire quelques clichés.

Le reste de la journée, les fillettes ont accompagné Monsieur Charles dans son étrange métier.

Martine apprend beaucoup de choses sur ce petit monde si discret qui vit pourtant juste sous nos yeux. Elle n'a plus peur du tout et pose toujours de nouvelles questions.

– Regardez ce nid de guêpes,
continue Monsieur Charles.
Elles ont inventé le papier bien
avant nous. Et elles savent
depuis toujours construire
léger et solide. Nous avons
plein de choses à apprendre
de ces petites bêtes.

Chez Anaïs, on a sorti le microscope pour observer une coccinelle.

– On aperçoit le moindre détail ! s'enthousiasment les filles.

Leurs antennes, leurs pattes… Et tu as vu toutes les couleurs de leurs ailes ? On dirait des bijoux.

– J'aimerais en voir encore et encore ! On se remet en chasse ? lance Martine, excitée comme une puce.

– Oui, allons-y !

Mais le sourire complice des deux amies se fige soudain. Là, devant elles…

– Regarde, Martine, sur cette souche !

– Une mésange… morte !

– Qu'est-ce qui lui est arrivé ? demande Anaïs.

Elle s'assoit dans l'herbe, attristée.

– Aucune idée… répond Martine. Il faut en parler à ton papa !

– Cet oiseau a été empoisonné, affirme Monsieur Charles après l'avoir observé, sans doute par le produit toxique qu'utilisent nos voisins pour tuer les pucerons et les chenilles. La mésange a mangé un de ces insectes, et elle en est morte.

– Il faut dire aux voisins d'arrêter !

– J'ai bien essayé, mais ils ne veulent rien entendre.

– J'ai une idée ! s'écrie Martine.

– On va organiser une grande journée des insectes !
Tous les enfants défileront dans le village en costume,
avec des pancartes et des banderoles.

– Oui ! s'exclame Anaïs. Comme ça,
les gens comprendront que
c'est important de protéger
la nature.

– D'abord, il faut envoyer
un message à nos amis
pour leur dire de trouver
une idée de déguisement.

– Cette page Internet
leur donnera des idées...
dit Monsieur Charles
en cliquant sur l'ordinateur.

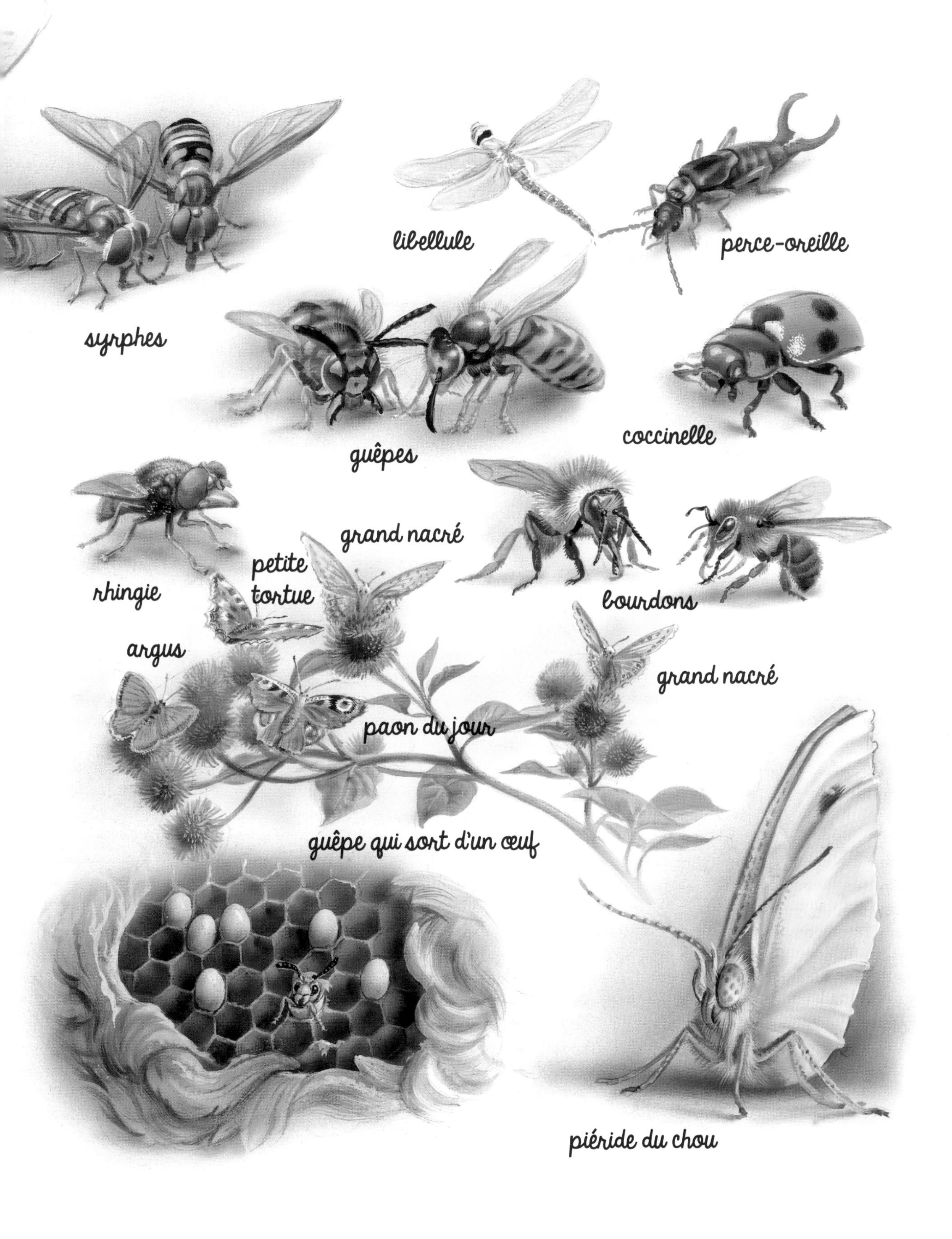
libellule
perce-oreille
syrphes
coccinelle
guêpes
grand nacré
petite tortue
rhingie
bourdons
argus
grand nacré
paon du jour
guêpe qui sort d'un œuf
piéride du chou

Tout le monde se retrouve chez Anaïs. Il faut faire la liste des costumes et commencer à les fabriquer.

– Avec du papier mâché, on peut créer des formes différentes !

Une tête, des antennes, une carapace…

Martine et ses amis travaillent dur. Ils cousent des ailes, peignent les déguisements, les garnissent avec de la paille…

La maman de Martine lui confectionne un justaucorps vert.

La fillette fera une bien jolie sauterelle !

– Je suis trop grand pour être un insecte, dit Monsieur Martin… alors je me suis fabriqué des ailes d'oiseau !
– Justement, dit Martine, Anaïs et moi, on a trouvé une mésange morte…
– Ça ne m'étonne pas : sur ma terrasse, j'ai ramassé une hirondelle empoisonnée…
– Les oiseaux doivent être défendus ! Mettez ce masque, et votre costume sera prêt !
« Cuicui ! » fait Monsieur Martin. Et tous les enfants éclatent de rire.

Quel succès, ce défilé ! La place du village est noire de monde.

Martine et Anaïs répondent aux questions d'un journaliste.

– Les oiseaux et les insectes sont très utiles, nous sommes ici pour dire qu'il faut les protéger, explique Martine.

Aux pieds du journaliste, une étrange bête, mi-chien mi-chenille, est très fière de sa petite maîtresse…

Retrouve **martine** dans d'autres aventures!

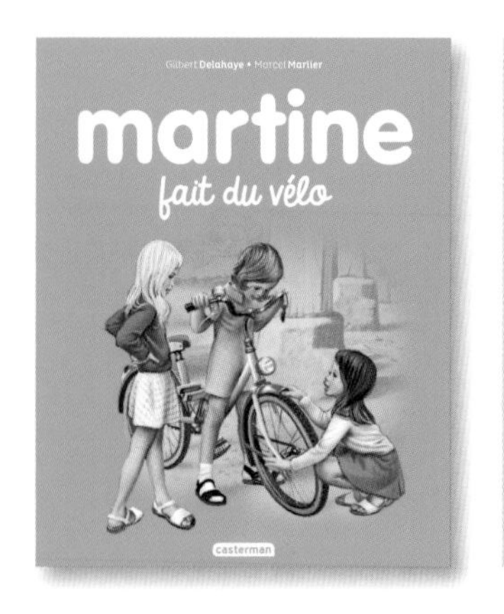

martine
fête maman
casterman

Gilbert Delahaye • Marcel Marlier
martine
et les lapins
du jardin
casterman

Gilbert Delahaye • Marcel Marlier
martine
baby-sitter
casterman

Gilbert Delahaye • Marcel Marlier
martine
prépare une surprise
casterman

Gilbert Delahaye • Marcel Marlier
martine
l'arche des animaux
casterman

Gilbert Delahaye • Marcel Marlier
martine
un amour de poney
casterman

martine
protège la nature
casterman

Gilbert Delahaye • Marcel Marlier
martine
et le prince mystérieux
casterman

Casterman
Cantersteen 47
1000 Bruxelles

www.casterman.com

ISBN : 978-2-203-10675-8
N° d'édition : L.10EJCN000489.N001

D'après les albums de Gilbert Delahaye et Marcel Marlier.
Achevé d'imprimer en décembre 2015, en Italie.
Dépôt légal : mars 2016 ; D.2016/0053/94
Déposé au ministère de la Justice, Paris (loi n°49.956
du 16 juillet 1949 sur les publications destinées à la jeunesse).